命运与共　共建家园

——在中国—东盟建立对话关系30周年纪念峰会上的讲话

（2021年11月22日）

习　近　平

人　民　出　版　社

命运与共　共建家园

——在中国—东盟建立对话关系30周年纪念峰会上的讲话

（2021年11月22日）

中华人民共和国主席　习近平

尊敬的文莱苏丹哈桑纳尔陛下，

各位同事：

很高兴同大家相聚“云端”，共同庆祝中国东盟建立对话关系30周年，回顾发展成就，总结历史经验，擘画未来蓝图。

中国东盟建立对话关系30年来，走过了不平凡的历程。这30年，是经济全球化深入发展、国际格局深刻演变的30年，是中国和东盟把握时代机遇、实现双方关系跨越式发展的30年。我们摆脱冷战阴霾，共同维护地区稳定。我们引领东亚经济一体化，促进共同发展繁荣，让20多亿民众过上了更好生活。我们走出一条睦邻友好、合作共赢的光明大道，迈向日益紧密的命运共同体，为推动人类进步事业作出了重要贡献。

今天，我们正式宣布建立中国东盟全面战略伙伴关系。这是双方关系史上新的里程碑，将为地区和世界和平稳定、繁荣发展注入新的动力。

各位同事！

30年来中国东盟合作的成就，得益于双方地缘相近、人文相通得天独厚的条件，更离不开我们积极顺应时代发展潮流，作出正确历史选择。

一是相互尊重，坚守国际关系基本准则。东方文化讲究“己所不欲，勿施于人”，平等相待、和合与共是我们的共同诉求。我们率先倡导和平共处五项原则和“万隆精神”，中国在东盟对话伙伴中最先加入《东南亚友好合作条约》。我们照顾彼此重大关切，尊重各自发展路径，以真诚沟通增进理解和信任，以求同存异妥处分歧和问题，共同维护和弘扬亚洲价值观。

二是合作共赢，走和平发展道路。中国和东盟国家有相似历史遭遇，实现国家安定和人民幸福是我们的共同目标。我们坚定维护地区和平稳定，始终聚焦发展主题，率先建立自由贸易区，高质量共建"一带一路"，共同推动签署《区域全面经济伙伴关系协定》，促进了地区融合发展和人民福祉。

三是守望相助，践行亲诚惠容理念。中国和东盟比邻而居，互帮互助是我们的共同传统。中国和文莱谚语都讲"有福同享，有难同当"。我们像亲戚一样常来常往，重情义，讲信义，遇到喜事共庆贺，遇到难事互帮衬。通过携手应对亚洲金融危机、国际金融危机、新冠肺炎疫情等挑战，强化了命运共同体意识。

四是包容互鉴，共建开放的区域主义。中国和东盟民族文化宗教多姿多彩，多元包容是我们的共同基因。我们从东亚文明中汲取智慧，以开放理念引领地区经济一体化，以平等协商推进东盟主导的地区合作，以包容心态构建开放而非排他的朋友圈，落实了共商共建共享原则。

30 年的宝贵经验是中国和东盟的共同财富，为双方发展全面战略伙伴关系奠定了基础、提供了遵循。我们要倍加珍惜、长久坚持，并在新的实践中不断丰富和发展。

各位同事！

“路遥知马力，日久见人心。”中国过去是、现在是、将来也永远是东盟的好邻居、好朋友、好伙伴。我愿重申，中方将坚定不移以东盟为周边外交优先方向，坚定不移支持东盟团结和东盟共同体建设，坚定不移支持东盟在区域架构中的中心地位，坚定不移支持东盟在地区和国际事务中发挥更大作用。

不久前，中国共产党召开了十九届六中全会，全面总结了中国共产党的百年奋斗重大成就和历史经验，中国人民正满怀信心在全面建设社会主义现代化国家新征程上前行。中国发展将为地区和世界提供更多机遇、注入强劲动力。中国愿同东盟把握大势、排除干扰、同享机遇、共创繁荣，把全面战略伙伴关系落到实处，朝着构建更为紧密的中国—东盟命运共同体迈出新的步伐。

对于未来的中国东盟关系，我愿提出5点建议。

第一，共建和平家园。没有和平，一切都无从谈起。和平是我们最大的共同利益，也是各国人民最大的共同期盼。我们要做地区和平的建设者和守护者，坚持对话不对抗、结伴不结盟，携手应对威胁破坏和平的各种负面因素。我们要践行真正的多边主义，坚持国际和地区的事大家商量着办。中方坚决反对霸权主义和强权政治，愿同周边邻国长期友好相处，共同维护地区持久和平，绝不寻求霸权，更不会以大欺小。中方支持东盟建设无核武器区的努力，愿尽早签署《东南亚无核武器区条约》议定书。

第二，共建安宁家园。新冠肺炎疫情再次证明，世界上不存在绝对安全的孤岛，普遍安全才是真正的安全。中方愿启动“中国东盟健康之盾”合作倡议:包括再向东盟国家提供1.5亿剂新冠疫苗无偿援助,助力地区国家提高接种率;再向东盟抗疫基金追加500万美元,加大疫苗联合生产和技术转让,开展关键药物研发合作,提升东盟自主保障水平;帮助东盟加强基层公共卫生体系建设和人才培养,提高应对重大突发公共卫生事件能力。本地区还面临各类传统安全和非传统安全挑战,要坚持共同、综合、合作、可持续的安全观,深化防务、反恐、海上联合搜救和演练、打击跨国犯罪、灾害管理等领域合作。要共同维护南海稳定,把南海建成和平之海、友谊之海、合作之海。

第三,共建繁荣家园。我不久前提出全球发展倡议,旨在推动国际社会合力应对挑战,促进世界经济复苏,加快落实联合国2030年可持续发展议程。这一倡议契合东盟各国发展需要,可以与《东盟共同体愿景2025》协同增效。中方愿在未来3年再向东盟提供15亿美元发展援助,用于东盟国家抗疫和恢复经济。中方愿同东盟开展国际发展合作，启动协议谈判，支持建立中国—东盟发展知识网络，愿加强减贫领域交流合作，促进均衡包容发展。

我们要全面发挥《区域全面经济伙伴关系协定》的作用，尽早启动中国东盟自由贸易区 3.0 版建设，提升贸易和投资自由化便利化水平，拓展数字经济、绿色经济等新领域合作，共建经贸创新发展示范园区。中国拥有巨大国内市场，将始终向东盟国家开放，愿进口更多东盟国家优质产品，包括在未来 5 年力争从东盟进口 1500 亿美元农产品。要高质量共建“一带一路”，同东盟提出的印太展望开展合作。中方愿进一步打造“一带一路”国际产能合作高质量发展示范区，欢迎东盟国家参与共建国际陆海贸易新通道。中方将启动科技创新提升计划，向东盟提供 1000 项先进适用技术，未来 5 年支持 300 名东盟青年科学家来华交流。倡议开展数字治理对话，深化数字技术创新应用。

第四，共建美丽家园。人与自然和谐共生是实现永续发展的基础。中方愿同东盟开展应对气候变化对话，加强政策沟通和经验分享，对接可持续发展规划。要共同推动区域能源转型，探讨建立清洁能源合作中心，加强可再生能源技术分享。要加强绿色金融和绿色投资合作，为地区低碳可持续发展提供支撑。中方愿发起中国东盟农业绿色发展行动计划，提高各国农业发展的韧性和可持续性。要增强中国—东盟国家海洋科技联合研发中心活力，构建蓝色经济伙伴关系，促进海洋可持续发展。

第五，共建友好家园。要倡导和平、发展、公平、正义、民主、自由的全人类共同价值，深化文明交流互鉴，用好地区多元文化特色和优势。要积极考虑疫后有序恢复人员往来，继续推进文化、旅游、智库、媒体、妇女等领域交流，使双方民众更加相知、相亲、相融。中国和东盟的未来属于青年，中方愿同东盟加强职业教育、学历互认等合作，增加中国—东盟菁英奖学金名额，开展青年营等活动。明年，我们将相继迎来北京冬奥会和杭州亚运会，中方愿以此为契机，深化同东盟各国的体育交流合作。

各位同事！

中国古人说："谋度于义者必得，事因于民者必成。"让我们把人民对美好生活的向往放在心头，把维护和平、促进发展的时代使命扛在肩上，携手前行，接续奋斗，构建更为紧密的中国—东盟命运共同体，共创更加繁荣美好的地区和世界！

图书在版编目(CIP)数据

命运与共　共建家园:在中国—东盟建立对话关系30周年纪念峰会上的讲话/习近平 著. —北京:人民出版社,2021. 12
ISBN 978-7-01-024374-0

Ⅰ. ①命…　Ⅱ. ①习…　Ⅲ. ①习近平-讲话②国际合作-中国、东南亚国家联盟　Ⅳ. ①D2-0②D822. 333

中国版本图书馆CIP数据核字(2021)第263703号

(RMC-ZJDXI-120-20211122)

命运与共　共建家园

MINGYUN YUGONG GONGJIAN JIAYUAN

——在中国—东盟建立对话关系30周年纪念峰会上的讲话

(2021年11月22日)

习　近　平

人民出版社 出版发行
(100706　北京市东城区隆福寺街99号)

北京新华印刷有限公司印刷　新华书店经销

2021年12月第1版　2021年12月北京第1次印刷
开本:880毫米×1230毫米 1/32　印张:0. 5
字数:6千字

ISBN 978-7-01-024374-0　定价:2. 00元

邮购地址 100706　北京市东城区隆福寺街99号
人民东方图书销售中心　电话 (010)65250042　65289539